**A todas as crianças curiosas,
transformadoras de sonhos.**

© 2000 do texto por Nereide S. Santa Rosa
© 2000 das ilustrações por Angelo Bonito
Callis Editora Ltda.
Todos os direitos reservados.
2ª edição, 2013
2ª reimpressão, 2021

TEXTO ADEQUADO ÀS REGRAS DO NOVO ACORDO ORTOGRÁFICO DA LÍNGUA PORTUGUESA

Coordenação editorial: Miriam Gabbai
Preparação de texto: Helena B. Gomes Klimes
Revisão: Ricardo N. Barreiros
Escaneamento e tratamento das imagens: Márcio Uva
Diagramação: Carlos Magno
Colaboração especial: Fausto Neves

CIP-BRASIL. CATALOGAÇÃO-NA-FONTE
SINDICATO NACIONAL DOS EDITORES DE LIVROS, RJ

R694v

Rosa, Nereida Schilaro Santa

   Volpi / Nereide Schilaro Santa Rosa ; ilustração Angelo Bonito. - [2. ed.] -
São Paulo : Callis Ed., 2013.
   24 p. : il. ; 21 cm.   (Crianças famosas)

   ISBN 978-85-7416-467-0

   1. Volpi, 1896-1988. 2. Pintores - Biografia - Literatura infantojuvenil .
I. Bonito, Angelo, 1962-. II. Título. III. Série.

13-08113.		CDD: 028.5
		CDU: 087.5
20.12.13	26.12.13	016173

ISBN 978-85-7416-467-0

Impresso no Brasil

2021
Callis Editora Ltda.
Rua Oscar Freire, 379, 6º andar • 01426-001 • São Paulo • SP
Tel.: (11) 3068-5600 • Fax: (11) 3088-3133
www.callis.com.br • vendas@callis.com.br

Crianças Famosas

VOLPI

Nereide S. Santa Rosa e Angelo Bonito

callis

Seu Ludovico Volpi vivia em uma cidade chamada Lucca, na Itália. Cercada de grandes muros construídos há mais de três séculos, a cidade tinha construções muito antigas. Dava até para imaginar que príncipes e princesas apareceriam nas janelas de seus castelos!

Apesar de viver em um lugar tão bonito, seu Ludovico andava preocupado. Sua família havia aumentado com o nascimento de mais um filho, Alfredo, em 1896. E, naquela época, a vida na Europa não estava nada fácil.

Seu Ludovico queria progredir e buscar uma vida feliz. E foi assim que ele tomou uma importante decisão: tentar a vida em outro país.

Então, a família Volpi embarcou para o Brasil.

Corajosos, seu Ludovico, sua esposa, Giusepina, e os três filhos do casal — Cirilo, Alceste e Alfredo — enfrentaram todas as dificuldades da viagem. Ao chegarem, desembarcaram no porto de Santos e seguiram para São Paulo.

O pequeno Alfredo, com apenas um ano e meio de idade, não podia imaginar o que lhe esperava. Despreocupado, apenas observava os acontecimentos: as pessoas no navio, o porto, o trem, a paisagem...

Naquele tempo, a cidade de São Paulo era tranquila e cheia de árvores, e a família Volpi foi morar no bairro do Cambuci, na rua Muniz de Souza, não muito longe do Brás e da Várzea do Carmo.

Na várzea aconteciam as primeiras partidas de futebol da cidade, as varzeanas, e as lavadeiras batiam roupa na beira do córrego.

A cidade estava progredindo: novas construções, indústrias, charretes e carroças começavam a dividir o espaço com os primeiros carros e bondes.

Assim, seu Ludovico abriu uma adega na rua Lavapés, não muito longe de sua casa, onde vendia queijos e vinhos para os trabalhadores de uma fábrica de chapéus.

A rua Lavapés tinha esse nome porque os viajantes que vinham do litoral, passando pela baixada do Glicério, costumavam lavar os pés na água de um córrego que havia lá perto.

Na rua Lavapés, ficava uma cocheira onde se alugavam carroças e charretes. Um dia, quando Alfredo tinha apenas cinco anos de idade e ia caminhando distraidamente pela rua, de repente, uma carroça veio em sua direção. Que

susto! Foi uma trombada só! Alfredo caiu de boca no chão. Seu lábio começou a sangrar e o cavalo saiu correndo. Uma pequena cicatriz no lábio superior o faria lembrar para sempre o dia em que um cavalo cruzou seu caminho.

— Eu não tinha nem seis anos de idade... Acho que tenho até um sinal aqui — Alfredo recordaria, anos mais tarde, apontando o próprio lábio.

Passado algum tempo, Alfredo e sua família mudaram-se para uma pequena casa térrea na mesma rua Lavapés, ficando mais perto da adega.

E foi nessa rua que Alfredo cresceu.

Uma das coisas que mais gostava de fazer era andar de bonde pela cidade. Assim, ele podia olhar, com toda a atenção, as paisagens, as casas, as pessoas.

Alfredo foi coroinha da Igreja Nossa Senhora da Glória. Vestia a batina de coroinha e, enquanto ajudava o padre nas missas e nas rezas, aproveitava para ver as pinturas e as imagens nas paredes da igreja.

Alfredo, como todos os garotos, também tinha que estudar.

Como existiam muitos italianos na cidade de São Paulo, foram abertas escolas italianas e Alfredo foi estudar na que ficava mais perto de casa, na rua Justo Azambuja, onde hoje está o Colégio Nossa Senhora da Glória.

Uma de suas professoras ia sempre à adega de seu pai para tomar um copo de vinho e conversar, entre outras coisas, sobre a Itália.

Alfredo era ótimo em Matemática. Tinha muita facilidade para fazer contas e cálculos. Gostava de ler e sabia escrever e falar italiano perfeitamente.

Os professores daquele tempo tinham uma forma diferente de ensinar. Escreviam as palavras na lousa e as cobriam com um pedaço de papelão. Porém, nesse papelão havia uma janelinha que permitia aos alunos verem uma sílaba da palavra escrita. Eles soletravam e copiavam as letras e as sílabas que viam.

Era como se as janelinhas abrissem um novo mundo para as crianças. Janelas que se tornariam importantes para a arte de Alfredo Volpi. Suas obras iriam mostrá-las de diferentes formas e em diferentes casas.

Mas Alfredo não terminou seus estudos. A vida dos imigrantes italianos não era fácil. As famílias eram numerosas. Alfredo já tinha mais dois irmãos: Mercedes e João. Era necessário trabalhar para ajudar seu pai.

Aos nove anos de idade, Alfredo conseguiu o seu primeiro emprego em uma marcenaria do bairro.

Prestava muita atenção ao trabalho, pois queria aprender com os marceneiros e os entalhadores a usar o martelo e o formão.

Observador, admirava as formas e os entalhes que apareciam na madeira, e também a paciência, o carinho e a habilidade para transformar a madeira em obras de arte.

Mais tarde, Alfredo usaria suas habilidades com a madeira para construir as telas e as molduras de seus quadros.

O bairro do Cambuci estava evoluindo.

Surgiam as primeiras gráficas, que se tornariam numerosas. O irmão de Alfredo, Alceste, trabalhava em uma gráfica e o levou para trabalhar lá como encadernador.

Alfredo já estava com 12 anos de idade e, todos os dias, via imagens impressas nas páginas de livros, jornais e revistas.

"E se as imagens fossem coloridas?", pensou.

Quando Alfredo recebeu seu primeiro salário na gráfica, 500 réis, foi logo comprar uma caixa de tintas aquarela.

Quantas cores havia na caixa!

Alfredo começou a explorar todas as tintas.

Depois de diluir as tintas em água, Alfredo as misturava, descobrindo tonalidades e fazendo novas cores.

Na gráfica, na hora do intervalo do trabalho, enquanto seu irmão lanchava, Alfredo ficava fazendo borrões coloridos. Sentia um imenso prazer em colorir papéis e observar os efeitos que conseguia.

Sua mãe não queria que fosse artista, mas seu talento começava a desabrochar.

Certo dia, Alfredo conheceu Orlando, um rapaz que estudava pintura em uma escola do Brás. Juntos, os dois resolveram trabalhar como pintores, decorando paredes. Assim, Alfredo poderia juntar o seu interesse pela pintura com um trabalho que rendesse dinheiro para seu sustento. Ele já tinha 15 anos de idade.

Naquela época, as famílias dos fazendeiros de café construíam casarões, principalmente na região da avenida Paulista. E, para embelezar seus salões, contratavam pintores que decoravam as paredes com desenhos difíceis e rebuscados.

Para fazer esse trabalho, Alfredo carregava os baldes de cal e os pincéis. Misturava os corantes na tinta para conseguir as cores desejadas. Caprichava nos detalhes, deixando as paredes bem bonitas.

Ele foi aprendendo e estudando os estilos de pintura italiana e francesa, descobrindo desenhos e diversos estilos e técnicas.

Mas Alfredo Volpi não queria só usar a pintura como enfeite. Ele queria registrar as imagens que via em sua cidade. Queria expressar o que sentia por meio de seus quadros.

Alfredo Volpi iniciou pintando paisagens em tampas de caixa de charutos. Aos 18 anos de idade, fez seu primeiro quadro: uma paisagem de seu bairro, o Cambuci.

E nunca mais parou. Só aos 92 anos de idade.

Sua arte começou representando figuras e paisagens e terminou expressando os seus sentimentos por meio de formas e cores, muitas cores.

Alfredo Volpi pintou bandeiras, bandeirinhas e bandeirolas. Luas, ogivas, barcos e sereias. E casas, muitas casas...

Feira do Cambuci
Final da década de 20

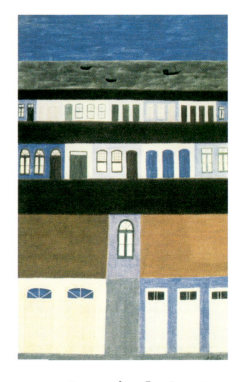

Casario de Santos
Início da década de 50

Bandeirinhas
Meados da década de 70